우울을 달래주는 프라페 레시피

발 행 | 2024년 07월 12일
저 자 | 옥수
펴낸이 | 한건희
펴낸곳 | 주식회사 부크크
출판사등록 | 2014.07.15(제2014-16호)
주 소 | 서울특별시 금천구 가산디지털1로 119 SK트윈타워 A동 305호
전 화 | 1670-8316
이메일 | info@bookk.co.kr

ISBN | 979-11-410-9448-5

www.bookk.co.kr

우울을 달래주는
프라페 레시피

옥수 지음

목차

이 책을 우리 엄마, 아빠, 동생, 용이, 탄이, 봄이, 꿀이에게
바칩니다.
나의 힘들었던 중학교 시절을 버티게 도와준 나의 빛
혜림이에게도 이 책을 바칩니다.
미국에 와서 사귀게 된 모든 친구들도 너무 고맙습니다.
그 외에도 나의 고마운 모든 이들에게
이 책으로 감사의 표현을 하고 싶습니다.
하늘에서 절 지켜보고 있을 친구 두 명에게도
저의 진심이 닿기를 간절히 기도합니다.

Owner of this book:

....

Chapter 1. Depression

나의 바다

나의 바다는 우울로 가득 차 있는데
오래간만에 어떤 아이가 찾아왔다.
이미 바다에서 볼 수 있는 아름다운 것들은
다 빼앗기고 사라졌는데 무엇을 위해 왔을까?

"넌 무엇을 원하기에 이 휑한 바다를 찾아왔니?
난 네가 원하는 것을 줄 수 없어. 보다시피 아무것도 없잖아"

그 아이는 뭐가 그리 좋은지 나의 말을 듣자마자 웃었다.

"네가 있잖아. 남들에겐 네가 우울일지 몰라도 나에게 넌 아주
예쁜 밝음이야."

우울을 달래주는 프라페 레시피

우울을 달래주는 프라페 레시피를 공유합니다.

다들 한 번씩 만들어보는 건 어때요?

후회하지 않을 거예요! 심지어 돈도 들지 않으니 걱정하지 않으셔도 됩니다.

1. 오랜만에 이른 아침에 상쾌하게 일어나서 느낀 뿌듯함을 한 스푼 가득 넣어주세요.

2. 옷과 이불이 널브러져 있는 방을 정돈하고 느낀 피곤함도 한 꼬집 넣어주세요.

3. 오랫동안 누워있어서 더러워진 옷을 세탁기에 넣고 샤워를 하고 나서 느낀 더위도 한 스푼 넣어주세요.

4. 남들 몰래 밤에 흘린 눈물, 앞으로 사는 동안 흘릴 눈물들을 모아서 부어주세요.

5. 모든 재료들을 한곳에 넣고 잘 섞어주세요.

여러분! 프라페가 완성되었어요.

휘핑크림은 기호에 맞게 얹어주세요.

아빌리파이

전반적인 도파민 레벨을 조절하여 정신장애 증상을 치료하는 우울증 약이다.

부작용은 속 메스 끄러움, 어지러움, 구토, 불면, 변비, 불안, 두통 등등.

그중 내가 제일 싫어하는 부작용은

우울증 약을 먹기 시작해서 이젠 일반인이 아닌

정신병자가 된 걸 자각하게 된다는 것.

고작 약 하나로 일반인에서 정신병자가 되다니.

진실게임

우리 재밌는 거 할래요?

진실게임을 해보는 거예요! 아무도 모르는 오직 나만이 아는 그런 비밀 가끔씩 털어놓고 싶을 때 저만 있는 건진 모르겠지만 혹시나 저처럼 비밀을 비밀로만 가지고 싶지 않은 분들은 저랑 같이 진실게임해요!!

이 아래에 아무도 모르게 적어놓으면 되는 거예요. 그러면 이 책을 열어보지 않는 이상 아무도 모를 거예요.

저랑 여러분의 비밀이 되는 거죠. 여기에다가 저를 믿고 비밀을 적어준 사람이 있다면 저를 믿어줘서 고마워요. 절대로 말하지 않을게요!!

제 비밀이 궁금하다면 조금 더 책을 읽어주세요. 그러면 알 수 있을 거예요.

....

....

....

세모는 네모가 될 수 없을까?

세모는 네모는 오직 변 하나 차이밖에 나지 않는데 왜 이렇게 다를까..

세모는 세모가 되고 싶지 않았대.

세모도 멋있는 네모가 되고 싶었다고.

세모의 우울증은 그렇게 시작되었어. 가끔 자기도 어쩌면 네모가 될 수 있지 않을까라는 헛된 희망을 가지고 변 하나를 더 구해서 어떻게 해서든 자기 몸에 끼우려고도 해보고, 가지고 태어난 세 개의 변을 이리저리 구겨가면서 네모가 되어보고 싶어 했어.

하지만 번번이 실패하고 세모는 마음과 몸이 더 아파가기만 했어. 억지로 맞지 않는 변을 끼우려다가 상처도 나고, 꾸깃꾸깃 누른 고유의 변은 점점 약해져가기만 했지.

결국 세모는 시름시름 앓다가 네모가 되는 걸 포기했어.

얼마나 지났을까.. 되게 깊은 잠을 자다가 일어난 것 같은 세모는 거울에 비친 자기 자신의 모습을 보고 놀랐어.

세모는 한 가지를 놓치고 있었어. 세모는 그저 자기가 딱딱한 세모인 줄 알았지만 알고 보니 말랑말랑한 점토로 만들어진 세모였던 거야!!

간절히 바라니 자기 자신이 아픈 시간을 견디고 그렇게 원하던 네모로 변할 수 있었던 거야.

이제 세모가 아닌 네모라고 불러야겠네.

네모는 너무나도 좋은 나머지 눈물을 흘리고야 말았어.

그리고 그 눈물은 지금까지 느꼈었던 슬픔을 깨워 서러움의 눈물로 변했지.

다른 세모들이 자기를 한심하게 보면서 받았던 마음의 상처, 매일매일 자기가 자신을 눌러가며 겪었던 몸의 고통까지.

네모는 결심했어.

자기 말고도 힘들어하고 우울한 이 세상 모든 도형들을 도와주기 위해 노력하기로.

너무 대견한 세모이자 네모지?

이걸 읽고 있는 모든 사람들도 다 똑같아.

너무 힘들어하지 말고, 결국 간절히 원하는 건 이루어질 테니,
우리 모두 자기 자신을 사랑해 주자.

우울증 플레이리스트

폭식, 좌절, 눈물, 체중 증량.

자해, 상처치료, 분노, 눈물.

과소비, 텅장, 후회, 허무함

여러분들도 우울증 플레이리스트가 있나요?

플리마켓

플리마켓이 열리는 날이에요.

하지만 이번에 열리는 플리마켓은 남들이 아는 플리마켓보단 조금 달라요.

보통 플리마켓은 더 이상 가지고 놀지 않는 장난감, 집에 많고 많은 컵 몇 개, 이젠 사이즈가 맞지 않는 옷들을 팔지만 여기선, 내면을 팔아요.

소위 말해 꿈이나, 잊고 싶은 재미있는 흑역사라든지, 아니면 탐나는 감정이나 경험을 살 수 있어요.

이런 걸 사는 사람이 있냐고요?

그럼요!! 그냥 내가 가지고 사는 것보단 차라리 생판 모르는 남에게 팔아버리고 잊어버리고 싶은 사람들도 있고, 남들의 이야기가 궁금해서 사러 오는 사람들도 많이 있어요.

아무래도 저에겐 남들의 저릿한 첫사랑 이야기가 제일 재미있는 것 같아요.

여러분도 만약 이 플리마켓에 참여할 수 있다고 하면 팔거나 사고 싶은 것이 있나요?

있다면 언제든지 구경하러 와요!!

다만, 언제 어디서 열릴지는 모른다는 점.

정신병이 있는 정신과 의사 선생님

아파 본 사람은 아픈 사람의 마음을 누구보다도 이해한다.

아파 본 사람은 아픈 사람을 알아본다.

또 다시 침몰하다

우울이란 강에 또다시 침몰하다.

우울이 나를 덮친 걸까,

아니면 내가 우울한테 다가간 걸까

빠져나가보려고 애써도

그런 나를 비웃기라도 하듯 더 날 빨아들인다.

누군가 나를 바라보고 있을까?

혹시라도 내 손을 잡아주진 않을까.

하루하루

여러분들은 인생은 하루하루 살아가는 것이라고 생각하시나요, 아니면 하루하루 죽어가는 것이라고 생각하시나요?

그렇다면 당신은 하루하루 살아가고 있나요?

아니면 하루하루 죽어가고 있나요?

Chapter 1. Depression 이 드디어 끝났습니다.

여러분들은 어떤 이야기가 제일 괜찮았나요?

•

....

전 아무래도 이 책의 제목인

"우울을 달래주는 프라페 레시피" 가 제일 마음이 가더라고요.

애초에 이 책에 담긴 많은 내용 중 제일 마음에 들어서 제목까지 똑같이 지었던 것 같아요.

저와 함께 첫 챕터를 끝내주셔서 감사합니다.

다음 이야기들도 같이 읽어봐요.

Chapter 2. Love

다정함은 유죄다

아 난 분명 진심이 아니었는데, 아니라고 생각했는데.

어느새 진지하게 대하지 않았던 너를 좋아하고 있었다는 걸 자각해버렸다.

정말 망했어..

어쩌다가 이렇게 돼버린거지?

너의 대가 없이 건네는 다정함에 홀려버린 건가?

아무래도 책임지라고 해야겠지? 만약에 책임지지 않는다고 하면 어떡하지? 내가 너무 못되게 굴어서 날 일부러 괴롭힐 작정으로 이런 건가?! 이래서 마음 주지 않으려고 한 건데 젠장.

아 역시 다정함은 유죄야.

토마토맛 아이스크림과 솔잎맛 음료수

토마토맛 아이스크림?

솔잎맛 음료수?

누가 그런걸 돈 주고 먹나 했더니 네가 먹는구나.

참나, 살다살다 이런걸 내가 돈주고 사본다.

장마

뜨거운 여름날, 꿉꿉한 장맛날.

불쾌지수가 최고치를 찍는다.

.

.

.

찍을 줄 알았다.

하지만 이 모든 걸 날려준 시원한 네가 있었다.

겉으론 아무렇지도 않은 척, 똑같은 비 오는 어느 하루인 척 툴툴거렸지만 전혀 그렇지 않았다.

발을 맞춰 걷고, 덥고 습한 날 스치는 손길이 너무 좋았다.

그래, 이번 여름은 네가 날 살렸다.

이 지독한 장마를 견딜 수 있게 해주는 넌 정말 뭘까.

알고도 당해주는 거야

난 알고도 너니까 당해주는 거야.

넌 나를 진심으로 생각하지 않는 걸 알면서도

온전히 내 선택으로 고통스럽지만 너 곁에 있는 거야.

내가 널 더 좋아하니까.

근데 있잖아,

내가 알고도 당하는 걸 너도 알고 있을까?

알면서도 그렇게 나를 함부로 대하는 걸까?

그렇다면 넌 정말 나쁘다.

아닌가, 그렇게 나쁜 너에게 놀아나는 내가 결국엔 바보일지도.

오늘도 난 나쁜 너에게 상처를 받는다.

꽃집 사장님은 정말 힘든 직업이야

오늘도 벌써 몇 명을 본 건지..

가게 밖에서 쭈뼛쭈뼛 망설이는 남녀..

사랑스러운 애인에게 선물하기 위해 평소에 자주 가지 않는 익숙지 않은 장소를 들어오는 사람들을 보는 것은 정말 힘들다.
(부럽다)

근데 요즘 들어 자주 오시는 한 남자가 있다.

도대체 여자친구가 얼마나 꽃을 좋아하길래 싸지도 않은 생화를 이리 자주 사러 올까..

전처럼 고민하다가 들어오겠지.

아, 들어왔네.

" 어서 오세요, 혹시 선물하실 분이 좋아하시는 꽃이 있으신가요? "

"사장님이 좋아하시는 꽃들로 만들어주세요."

한정판 메뉴 딸기주스

• 사장님 편

매일 딸기주스를 사 가는 여자가 있다.

자주 와줘서 고마운 마음이 크지만

사실 딸기주스는 시즌 메뉴라서 진작 들어갔었다.

매일 같은 시간에 오는 그 손님을 실망시키고 싶지 않아

몰래 더 만들어주기 시작한 게 벌써 두 달이나 지났다.

오늘은 꼭 말해야겠다고 결심했다.

.

.

그 손님이 왔다.

"안녕하세요 딸기주스 한 잔 달고 얼음 적게 맞으시죠?

죄송하지만 오늘이 마지막 딸기주스에요."

말하고 나니 많이 아쉬워하는 그녀의 표정이 보였다.

고작 딸기주스 하나로 만난 인연인데

뭐 이리 아쉬운 걸까.

저 손님보다 많이 온 분이 없어서 아쉬운 건지,

아니면 저 손님을 이제 못 볼까 봐 다른 의미로 불안한 건지.

다음에 다시 딸기주스가 나올 때 알려준다고 하고 연락처를 물어볼까 고민했지만 결국엔 묻지 않았다.

연락처를 묻고 싶었던 이유가 순수하게 시즌 메뉴가 나오는 걸 알리기 위함이 아니었기 때문에.

한정판 메뉴 딸기주스

• 손님 편

오늘 나의 소소한 행복이 무너졌다.

매일매일 하루도 빠짐없이 마셨던 딸기주스를

이제 당분간 마실 수 없다는 소식을 들었다.

지금 마시고 있는 이게 마지막이라니..

이제 내 주스 취향까지 외우고 계시는 사장님을

못 보겠지?

딸기주스로 들어가기 시작한 카페지만 저런 외모를 가진 사장님은 흔치 않다.

그래도 지금까지 봐온 정이 있는데 다른 메뉴도 도전해 볼까?

(물론 절대로 사장님을 보고 싶어서 가는 건 아니야. 오로지 그 카페 음료가 맛있었기 때문에 재방문 의사가 있는 거지. 다들 그 정도는 알겠지?)

거짓말 게임

혹시 거짓말 게임을 들어보셨나요?

앞에서 했던 진실게임이랑은 다르게 거짓말만 해야 하는 게임이에요.

그럼 우리 지금부터 한 번씩 해볼까요?

.

.

.

난 사실 널 좋아해 그래서 매일매일 새벽에 일어나서 고데기 하고 매일 입는 같은 교복이지만 셔츠를 접어 입을지, 운동화는 뭘 신을지, 이런 사소한 것까지도 신경 쓰면서 예뻐 보이고 싶었어. 며칠 전에 네가 여자친구 생겼다는 얘기 듣고 진짜 속상했다? 너랑 친구는 못하겠나 봐 난.

거짓말 게임 끝

여러분들의 거짓말도 한번 적어보는건 어때요?

....

....

....

....

....

....

....

....

자기 전 올리는 기도

이 세상에 신이 계신다면,

제발 저의 기도를 들어주세요.

제가 좋아하는 사람이 저를 좋아해 주질 않아요.

세상에 그보다 마음 아픈 일이 있을까요?

그 사람은 제가 자기를 이렇게 좋아하는 걸 알까요.

저 욕심 별로 없어요.

그 사람도 절 같이 좋아해 달라고는 하지 않을게요.

그냥.. 제가 그 사람을 좋아하지 않게 해주세요.

너무 괴롭고 아파요.

저도 사랑받고 싶어요…

시트러스 녹차

그대가 나에게 준 유행 지난 옷과 간식들이 당신 대신 내 곁에 있습니다. 그때도 당신의 취향은 이해하기 어려웠는데 시간이 지난 지금도 도무지 이해할 수가 없습니다.

하지만 당신은 나를 사랑했습니다.

그것 또한 이상했습니다.

단 걸 좋아하지 않는 당신은 내가 좋아한다는 이유 하나 만으로 매일 베이커리에 들렸습니다.

평소엔 쳐다도 보지 않는 꽃을 그대는 내가 생각났다면서 건넸습니다. 난 변한 게 없지만 당신은 나 때문에 변해갔습니다.

그대는 내가 그대의 행복이라고 말했고,

난 오글거린다고 말하지만 웃었습니다.

나도 모르게 어느새 그대 덕에 변해갔습니다.

그대가 좋아하는 것이 궁금해졌고, 그대가 싫어하는. 것도 궁금해졌습니다.

더 알아가고 싶었습니다.

단지 그뿐이었어요.

그대는 내가 길에서 눈길 한번 준 머리끈 하나까지도 신경 쓰고 기억해 주는게 고마워서 나도 그대가 신경 쓰이고, 생각났습니다. 서툴렀던 나는 그대가 즐겨 마시던 시트러스 녹차를 한 병 사들고 그대에게 향했습니다.

그대에게 향했지만 그대를 만나지 못했습니다.

그래도 아무렇지 않았습니다.

난 당신을 신경 쓴 적이 없으니까.

당신을 보고 싶어 하지 않았으니까.

당신 생각을 하지 않았으니까.

그대에게 전해주지 못한 시트러스 녹차를 마시며, 그대가 나에게 마지막으로 전해준 붉은 머리끈으로 머리를 질끈 묶고 병원에서 나왔습니다.

그렇게 시간을 흘렀고, 현재까지도 난 시트러스 녹차를 마시며 당신을 기다립니다.

당신이 자주 갔던 베이커리는

주인이 벌써 세 번째 바뀌었습니다.

날 알아보고 생크림 케이크를 건네주며 슬픈 미소를 짓는 주인의 엄마를 안아주고 나왔습니다.

혼자서 초를 켜고 불이 크림에 묻어 꺼지기 전까지 바라보다 당신을 보았습니다.

그대는 그때도 지금도 나를 보며 웃고 있네요.

이제서야 나도 당신을 보고 웃을 수 있습니다.

당신의 손을 잡고, 당신의 등을 보며 걸어갑니다.

.

.

.

보고 싶었습니다.

당신 생각이 날 때마다 울었습니다.

마지막으로 당신에게 받은 선물이 내가 눈길을 주었던 흰 레이스 머리끈이었기에 너무 슬펐습니다.

그대를 사랑했었나 봅니다.

사랑해요.

애인 없는 사람은 혼자서 놀이동산 출입 금지

왜 아무도 놀이동산이 이렇게 위험한 곳이라고 아무도

경고해 주지 않았던 거죠?

왜 놀이동산 직원분들은 밝은 미소로 티켓 확인만 하고

애인의 유무를 묻지 않는 것이죠?

애인 없는 사람이 혼자서 놀이동산에 들어갔다가

어떤 봉변을 당할 줄 알고!

앞으로 모든 놀이동산들은 티켓 구매하기 전

‘애인이 있으십니까?

없으시다면 혼자서는 출입이 불가합니다.’

라고 좀 미리 경고해 주시길 바랍니다.

흥.

Chapter 2. Love 도 어느새 끝났네요.

여러분은 어떤 이야기가 제일 괜찮았나요?

•

전 사실 이번 챕터는 쓰면서 오글거렸던 부분도 많았는데 참고 쓰느라 많이 힘들었던 것 같아요. 그래서 이 챕터에선 제일 마음에 드는 글 말고 제가 제일 잘 보이는 이야기를 말해보자면

"다정함은 유죄다" 인 것 같아요.

Chapter 2까지 달려오시면서 여러분들이 한 번이라도 피식했길..

Chapter 3. Pain

• 이번 챕터에는 비속어가 (아주 조금) 포함되어 있습니다.

일상에서 느낄 수 있는 고통
(다소 고통스러울 수 있으니 주의하세요)

1. 컵라면 먹으려고 물 부었는데 선보다 더 많이 부었을 때

2. 식탁 혹은 책상, 문턱에 새끼발가락 부딪혔을 때

3. 졸업앨범 보다가 그 시절 유행했던 화장하고 사진 찍은 나 자신을 보았을 때 (절대 제 이야기는 아닙니다)

4. 짝사랑한테 고백했다가 차였을 때

5. 오랜만에 외식했는데 새로운 메뉴로 도전한 음식이 맛이 없을 때

6. 아껴놨던 간식이 어느 날 보니 없을 때

7. 어린 아기가 놀던 레고 밟았을 때

8. 수학 공부할 때 (이건 제 의견)

고통 카지노

너무 힘들어서 믿을만하다고 생각했던 사람에게 털어놓았던 나의 아픈 이야기가 나에게 더 큰 아픔을 몰고 되돌아올 줄은 상상도 하지 못했다.

아닌가, 어쩌면 알았을지도 모른다.

내 몸 밖에서 나온 이야기는 더 이상 나만의 아픔, 비밀. 고통이 아니다.

사람들이 카지노에서 돈을 딸 수 있는 확률은 약 50%.

50은 정말 애매한 숫자다.

예상했던 것보다, 혹은 느끼기에 큰 숫자일 수도 있다.
아니면 반대로 터무니없게 작게 느껴지거나.

사람들은 그 50%의 희망으로 혹시나 나는 다르지 않을까, 라는 생각으로 돈을 쓰게 되는 것이다.

나 역시 그랬다.

이 사람은 정말로 믿을 수 있지 않을까?

그래 믿어보자.

“나 너무 힘들어..”

과연 어땠을까,

내가 한 도박은 성공일까.

“야, 너 나한테 그때 그거 때문에 힘들다고 털어놓고 그랬으면서. 너 힘든 거 들어줄 때만 네 주변 사람이고 다른 때는 아니야? 너 진짜 이기적이다.”

.

.

.

이번에도 대차게 실패다.

외줄 타기 서커스

예술 중에서도 인생과 가장 닮은 예술이 서커스라고 하는 이야기를 들은 적이 있다.

그중 외줄 타기.

멀리서 보아도 아슬아슬하고 위험해 보이는 외줄 타기는 왜 서커스에서 인기가 많았을까?

사실 외줄 타기 뿐만이 아니라 서커스 공연을 찾아본다면 정말 위태롭고 위험해 보이는 퍼포먼스를 많이 선사한다.

서커스는 왜 위험한 퍼포먼스를 관객들에게 보여줄까.

그 질문에 대한 나의 생각은..

사람들은 남의 고통을 보고 싶어 하기 때문이 아닐까 싶다. 자기가 하는 것이 아닌, 남의 고통과 위태로움은 그저 하나의 유흥이라고 생각하는 게 아닐까.

이렇게 생각한다면 사실 우리의 일상도 서커스와 다를 게 별로 없어 보인다.

고통은 두 가지로 나뉜다.

내가 겪어본 고통과
내가 아직 겪지 않은 고통

책임지고 싶지 않아!

세상에 책임이라는 것보다 무서운 것이 또 존재할까.

내가 하는 모든 크고 작은 선택들에 책임이 따른다는 것이
소름 돋고 징그럽다.

하다 하다 밤에 라면 하나를 끓이는
선택조차도 책임이 따른다.

살아서도 이렇게 피곤하게 사는데 죽어서는 어떨까?

과연 죽어서는 정말 편안하기만 할까?

죽는다면 저승에서는 이승과 다르게 책임을 지지 않아도
괜찮을까?

뭐.. 그건 죽어봐야만 알 수 있겠지.

Oxymoron (모순어법)

쾌락은 고통을 준다.
사랑은 증오만을 남긴다.
죽고싶어서 손목을 그었다.

구원 초특가 세일!

구원의 사전적 의미는

• 어려움이나 위험에 빠진 사람을 구하여 줌

그렇다면 구원은 공짜일까?

세상에 공짜는 없을 텐데..

만약 구원을 사고팔 수 있다면
구원의 값어치는 어느 정도일까요?

구원 세일합니다!

초특가 세일!

누군가가 이런 현수막을 걸어주면 좋겠네요.

인생 양도 사이트

인생을 양도합니다.

지금 현재 모든 상황들을 감수하고 인생을 살아가는 것이
인생을 양도받은 사람이 해야 할 일입니다.

한번 양도받은 인생은 환불 처리 및 다시 다른 사람에게 양
도를 할 수 없다는 점 주의해 주시기 바랍니다.

그럼 시작하겠습니다.

여러분은 양도받은 인생 만족하시나요?
만족하셨다면 저희 사이트에 다들 좋은 후기 한 번씩
남겨주시길 바라겠습니다.

감사합니다.

~~좆같은데요 시발..~~ (관리자에 의해서 삭제된 후기입니다)

....

....

....

이번 역은 지옥입니다.

오랫동안 여기까지 오시느라 수고하셨습니다.

이젠 새로운 이곳에서 지금보다 더 고달프고 고통스러운 일상을 살아가시길 바라겠습니다.

이 차 안에 타고 계신 여러분 모두 곧 내립니다.

이번 역은 지옥입니다.
내리실 문 뒤쪽에 있으니 조심하여 내려주시길 바랍니다.

만나서 좆같았고 다신 보지 맙시다.

열심히 산다면 신께서 다시 한번 기회를 주실 수도 있으니
모두 모두 화이팅!

행복의 유통기한

어쩌면 고통은 행복이 너무 오래 곪아서 생긴 게 아닐까.

오래된 우유를 마시면 탈이 나듯이,
행복도 너무 오래된 행복을 꺼내면 고통으로 변하나 보다.

결국 지나간 행복은 다시 돌아올 수 없는 거구나.

과거에 머물러있는 행복은 과거에 계속 머무를 수 있도록
미련을 버려야겠구나.

Chapter 3. Pain 까지 이제 끝이 났습니다.

이번 챕터에서는 어떤 이야기가 제일 기억이 남나요?

....

아무래도 이번 챕터가 분량은 셋 중 제일 적었지만
제일 쓰는 데 오래 걸린 것 같아요.

"고통은 두 가지로 나뉜다" 가
저에겐 제일 인상이 깊었던 것 같아요.

이제 마지막으로 작가의 말을 남겨두고 있네요.

이번 챕터까지 저와 함께해 주셔서 감사합니다.

• 작가의 말

아직까지도 “작가”라는 단어가 되게 멀게 느껴지고 부끄럽기도 하네요.
드디어 저의 인생 첫 책을 완성하게 되었다는게 사실 아직까지도 믿기지가 않아요.
설레기도 하고, 많이 부족한 실력을 세상 밖에 내놓는다는 것도 생각보다 많은 용기가 필요한 일인 걸 깨달았어요.
예전부터 책을 쓰고 싶다는 생각을 많이 했었고 나름의 도전도 해보았었는데 다 흐지부지 어느샌가 보이지 않았던 것 같아요.
사실 이 책의 원고도 몇 년 전부터 끄적이다가 컴퓨터 깊숙한 곳에 넣어놨었어요.
근데 이번 연도 들어서 다시 열어보고, 무한 수정을 하다가 지금까지 오게 되었네요!!
전 저 자신이 스스로 되게 못난 사람이라고 생각하는데 이렇게 큰 뿌듯함을 나 자신에게 느껴보는 게 거의 처음인 것 같아요.
이 책을 사실 많은 분들이 읽어주실 거라곤 생각하지 않지만
그래도 이야기를 하나하나 적어가면서 정했던 개인적인 목표는 “이 책을 읽은 모든 사람들이 적어도 한 번씩 피식하

길!! 읽으면서 마음속의 위로를 받고, 이 책을 읽는 그 시간 만큼은 힐링이라고 느낄 수 있길!!"이라는 야심찬 목표를 세웠었어요.

이제 긴 감사 이야기를 전해보도록 하겠습니다.

우리 엄마, 아빠 항상 든든하게 저를 지켜주고 응원해 주고 사랑해 줘서 너무 감사하고 사랑해요.
물론 내 혈육도..
그리고 용이, 탄이, 봄이, 꿀이도 사랑해.

중학교 때부터 친하게 지낸 내 제일 친한 친구 혜림아, 드디어 이 몸이 작가님이 되셨다!! 정말 내 인생에 너라는 친구를 둘 수 있어서 너무 감사해. 그리고 미국에서 사귄 나의 친구들아!! 너네들도 정말 고맙고 사랑해.
그리고 하늘에서 저를 지켜봐 주고 있을 저의 두 친구들도 너무 고마워. 너무 보고싶다.

아무래도 제가 제 이야기를 길게 적어봤자 재미없을 테니까 (그래놓고 이미 많이 써버렸네요..)

마지막으로 이 책을 쓰는 동안 제 자신을 좋아할 수 있게 만들어주셔서 정말로 감사하고, "우울을 달래주는 프라페 레시피"는 저에게 있어서 큰 도전이었고, 앞으로의 저를 더 탄탄하게 해줄 발판이 될 것 같아요.

덕분에 값진 경험을 많이 했네요.

"우울을 달래주는 프라페 레시피"!! 너도 정말 고마워.

많은 사람들의 우울을 달래줄 수 있는 그날까지 화이팅!!

우울을 달래주는 프라페 레시피

마침.